D1090917

Le roi

La reine

La fillette

Les six frères cygnes

Les six cygnes

Adapté par Anne Royer • Illustré par Line Parmentier

Éditions Lito

Il était une fois…

… un roi perdu dans une forêt. Alors qu'il errait parmi les arbres, il vit venir à lui une vieille femme.

– Si tu épouses ma fille, tu pourras retrouver ton chemin, dit celle qui était en fait une sorcière. Sinon, tu mourras…

Le roi était si apeuré qu'il accepta et suivit la vieille jusqu'à son logis. Là, se tenait une très belle jeune femme, qu'il fit monter sur son cheval et épousa dès son retour chez lui.

Malgré sa beauté, la jeune reine avait quelque chose d'effrayant qui terrorisait son époux. Comme celui-ci avait six garçons et une fille d'un premier mariage, il préféra les tenir éloignés de sa nouvelle femme et les emmena dans un château niché au cœur d'une forêt profonde.

Ce château était si bien caché que le roi devait s'aider d'une pelote de fil magique pour s'y rendre. Il lançait celle-ci devant lui et, en se déroulant, elle lui dévoilait la route à suivre.

Hélas, la jeune reine ne tarda pas à apprendre l'existence des enfants de son époux, et elle devint folle de jalousie. Dès lors, elle n'eut de cesse qu'elle ne trouvât la pelote. Quand ce fut fait, elle cousit des petites chemises de soie ensorcelées et s'en alla dans la forêt en suivant le fil magique.

Croyant reconnaître le pas de leur père, les six garçons vinrent à sa rencontre et se trouvèrent face à la reine, qui jeta sur chacun d'eux l'une de ses chemises. Aussitôt, ils se métamorphosèrent en cygnes et s'envolèrent à tire-d'aile. La reine rentra alors chez elle, croyant s'être débarrassée de tous les enfants de son époux ; elle ignorait l'existence de la fillette.

Le lendemain, le roi se rendit au château dans la forêt et apprit de la bouche de sa fille que ses garçons avaient disparu.

Éperdu de chagrin, mais ne suspectant pas son épouse, il voulut mettre son enfant à l'abri chez lui. Celle-ci, épouvantée à l'idée de vivre avec sa belle-mère, supplia son père de lui laisser passer une dernière nuit dans son château.

Elle profita de ce répit pour s'enfuir à la recherche de ses frères.

La petite fille marchait depuis un jour entier lorsqu'elle aperçut une cabane et décida de s'y reposer. Soudain, dans un frémissement, six cygnes y entrèrent. S'étant cachée pour les observer, elle les vit enlever leur plumage comme on ôte une chemise et reconnut ses six frères.

– Vite ! Partons rejoindre notre père ! s'écria-t-elle en leur sautant au cou.

– Hélas, dit tristement l'un d'eux. Nous ne redevenons humains qu'un quart d'heure chaque jour…

– Comment puis-je lever ce sortilège ? demanda leur petite sœur en pleurant.

– C'est impossible ! soupira un autre de ses frères. Pour cela, il te faudrait rester six années sans parler ni rire, et nous coudre à chacun une chemisette de fleurs étoilées.

La fillette n'eut pas le temps de répondre que déjà ses frères, redevenus cygnes, s'envolaient.

Pleine de courage, elle partit ramasser des fleurs étoilées qu'elle se mit à coudre. Installée sur la branche d'un arbre, elle se retrouva bientôt si occupée par son ouvrage qu'elle finit par oublier son tourment.

Quelque temps plus tard, des chasseurs la trouvèrent. Bien incapables de la faire parler, ils la firent prisonnière et l'emmenèrent à leur souverain. Celui-ci, subjugué par la beauté de cette inconnue, l'épousa sur-le-champ.

Cela déplut terriblement à la mère du roi, qui se mit à haïr cette belle-fille muette qu'elle trouvait indigne de son fils.

Lorsque la jeune reine donna naissance à son premier enfant, sa belle-mère le lui enleva pendant son sommeil et lui barbouilla la bouche de sang afin de la faire passer pour une ogresse.

Le roi vit son deuxième fils disparaître dans les mêmes circonstances, mais il ne prêta pas plus d'attention aux accusations de sa mère que lors de la première disparition.

Cependant, lorsque son troisième enfant disparut lui aussi, il fut bien obligé de demander des explications. Et comme la jeune reine continuait obstinément à se taire et à tisser ses chemises, un tribunal la condamna à être brûlée.

Quand on vint la chercher le jour de son exécution, qui était également le dernier de ses six années de pénitence, la jeune femme emmena avec elle ses six chemises cousues de fleurs.

Alors que le bûcher allait être allumé, elle vit les six cygnes fendre le ciel et se poser autour d'elle. Elle s'empressa de tendre une chemise à chacun d'eux, et les vit aussitôt reprendre leur apparence d'homme. Seul le cadet, qui avait reçu une chemise dont la manche était inachevée, conserva une aile d'oiseau.

Devant la foule médusée, les six jeunes hommes délivrèrent leur sœur, qui pouvait désormais parler.

– Mon mari bien-aimé, dit-elle, je vous jure n'avoir rien fait de mal. Seule votre mère, qui m'a arraché nos enfants, est coupable.

Dès que la belle-mère eut avoué son crime et rendu les trois garçons, on la chassa du royaume et la famille, enfin réunie, put alors goûter à une longue vie de bonheur.